BEAUX CONTES CÉLÈBRES

BEAUX CONTES CÉLÈBRES

Illustrations de

FREDERICK RICHARDSON

FERNAND NATHAN

*L'amour qu'ont les enfants
pour ces histoires très anciennes,
dont la popularité reste immuable,
a servi de base à la conception de ce livre.
Aussi est-il dédié
à tous les enfants.*

Adaptation française d'Anne Laflaquière

L'édition originale de cet ouvrage a paru
sous le titre : *Great Children's Stories*
chez Rand McNally & Company, Chicago, Illinois
Copyright © 1980 Rand McNally & Company
Tous droits réservés
Copyright © 1980 Rand McNally & Company
All rights reserved
Translated from *Great Children's Stories*
Copyright © 1972 Rand McNally & Company, Chicago, Illinois
All rights reserved
Texte français © Fernand Nathan éditeur, Paris, 1981

INTRODUCTION

Voici donc ces histoires traditionnelles qui sont, depuis des générations, l'héritage des enfants. Qu'aucun adulte ne mésestime les plaisirs qu'elles offrent aux jeunes depuis des années. Si vous, qui êtes adulte, doutez de la place que tiennent ces contes dans la vie des enfants d'aujourd'hui, prenez le temps de vous asseoir parmi de très jeunes auditeurs et de lire les aventures de la vaillante Petite Poule Rousse ou de Poussin Poussif, terrorisé par le ciel qui s'effondre. Vous aurez alors le sentiment de faire un don merveilleux.

Les visages d'enfants savent rarement cacher l'émerveillement et le délice que leur procure cette découverte du monde de la littérature. C'est un univers nouveau qui s'ouvre à eux, un monde qui bat au rythme des comptines, et où les vagues de l'imaginaire vont se fondre aux eaux calmes d'une compréhension plus profonde de la vie.

Je me souviens confusément qu'à l'âge de trois ou quatre ans, j'entendis pour la première fois l'histoire des *Trois Ours*. Je croyais alors à un don qui m'était réservé, un don magique auquel je n'avais jamais osé rêver. En vérité, cette magie me rendit avide de livres, et le monde de la littérature, avec ses joies, eut désormais une nouvelle adepte.

Ainsi en est-il de chaque génération. De nos jours, les enfants ont un univers plus vaste — parfois plus riche, mais pas toujours. Ils connaissent mieux le monde qui les entoure, mais ils vibrent encore aux personnages qui ont charmé les générations précédentes ; cela est vrai pour les tout-petits, mais aussi pour les enfants plus âgés, frustrés, dans leur milieu, de livres et de conteurs.

A première vue, l'adulte blasé s'interrogera peut-être sur la signification du mot « magique » souvent associé à ces histoires, et jugera les contes simples, répétitifs ou peu réalistes. Cette question mérite examen.

Tout d'abord, les premiers auteurs de ces histoires, écrivains, « conteurs » ou « baladins », sont de ces rares adultes — heureux adultes — que leur enfance n'a jamais quittés, et qui ont su en préserver en eux les émotions, les besoins, les troubles, les plaisirs et les humeurs. Trop de « grandes personnes » ont oublié leur âme d'enfant et pensent (encore ajourd'hui) qu'un conte pour enfants est aussi simple à écrire qu'une gentille lettre à un ami. Mais peu d'histoires écrites ainsi survivront à la manière de ces contes traditionnels.

Dans la littérature moderne, des récits de cette qualité sont rares ; ils sont, tels ceux de *Ma Mère l'Oie*, le fait d'auteurs qui ont su retenir, dans les tensions de la maturité, les visions blotties dans l'imaginaire enfantin.

Les jeunes lecteurs et auditeurs ne sont pas timorés. De tout temps,

ils ont accepté avec désinvolture l'univers vigoureux du suspense et de la peur : on dévore (et on est dévoré), on fouine partout au péril de sa vie (comme Boucles d'Or), on met en déroute le mal (un cruel renard) grâce à une pensée vive et remarquablement ingénieuse. Les scènes à grand frisson (« Et de tout mon souffle je soufflerai sur ta maison »), ainsi que les récits empreints d'un sens aigu de la justice (la Petite Poule Rousse) restent dans les mémoires.

Il y a toujours dans la vie, même celle des tout-petits, des situations contraignantes, difficiles, sources de confusion et d'angoisse. Les vieilles histoires reflètent ces tensions et ces besoins de l'enfance qui, devenus plus complexes au fil de la vie, inspirent aussi la littérature pour adultes. Poussin Poussif croit que le ciel s'écroule, et une telle hypothèse est certainement terrifiante. Dans les premiers souvenirs de l'enfant, ses premiers pas et l'exploration de lieux trop hauts pour lui, la chute est intimement liée à la douleur. Aussi reconnaît-il pour sienne la panique du poussin. Et il arrive que, bien plus tard, devenu adulte, il en retrouve le lointain souvenir en regardant le roi Lear, fou de terreur, courir sur la lande.

Dans ce livre, l'art apporte un nouvel enchantement à cette version des contes. Les illustrateurs ont toujours enrichi de leur vision originale des personnages et des situations l'art du conteur. Ici, Frederick Richardson offre une profusion de détails et de couleurs, baignés d'une atmosphère tranquille, que l'enfant découvrira avec bonheur. Voir Boucles d'Or entrer dans une maison coquette et bien rangée peu avant huit heures, et, à la page suivante, découvrir après neuf heures les dégâts qu'elle y a faits, est un délice qui embellira dans le souvenir de l'enfant l'histoire des *Trois Ours*. Et à propos, qui, sinon Frederick Richardson, nous a jamais dit que la répugnance du cochon à sauter la haie avait un rapport avec la vue du petit lait coulant d'un sac à fromage ? Et quel est l'enfant qui ne rira pas en voyant l'indifférence hautaine du canard, du chat et du chien devant le sac de blé de la Petite Poule se transformer, quelques pages plus loin, en un intérêt passionné pour la miche de pain une fois cuite ?

Voici donc un livre d'une grande richesse, à la fois traditionnel et nouveau. J'espère que de nombreux enfants le découvriront avec le même bonheur que ceux, parmi nous, qui n'ont pas oublié leur enfance.

Irène Hunt

SOMMAIRE

LA PETITE POULE ROUSSE

Un jour que la Petite Poule Rousse grattait le sol, elle trouva un grain de blé.

« Ce blé doit être planté, dit-elle. Qui plantera ce grain de blé ?

— Pas moi, dit le Canard.

— Pas moi, dit le Chat.

— Pas moi, dit le Chien.

— Eh bien, je le ferai », dit la Petite Poule Rousse.

Bientôt le blé devint tout doré.

« Ce blé est mûr, dit la Petite Poule Rousse. Qui le coupera ?

— Pas moi, dit le Canard.

— Pas moi, dit le Chat.

— Pas moi, dit le Chien.

— Eh bien, je le ferai », dit la Petite Poule
Rousse.

Quand le blé fut coupé, la Petite Poule Rousse
dit :

« Qui veut battre ce blé ?

— Pas moi, dit le Canard.
— Pas moi, dit le Chat.
— Pas moi, dit le Chien.
— Eh bien, je le ferai », dit la Petite Poule Rousse.

Quand le blé fut battu, la Petite Poule Rousse dit :
« Qui portera ce blé au moulin ?

— Pas moi, dit le Canard.

— Pas moi, dit le Chat.

— Pas moi, dit le Chien.

— Eh bien, je le ferai », dit la Petite Poule Rousse.

Elle porta le blé au moulin et le fit moudre en farine. Puis elle dit : « Qui fera du pain avec cette farine ?

— Pas moi, dit le Canard.

— Pas moi, dit le Chat.

— Pas moi, dit le Chien.

— Eh bien, c'est moi qui le ferai », dit la Petite Poule Rousse.

Elle fit le pain et le mit au four. Puis elle dit :
« Qui veut manger ce pain ?

— Moi, moi ! dit le Canard.

— Et moi aussi ! dit le Chat.

— Et moi aussi ! dit le Chien.

— Eh bien, dit la Petite Poule Rousse, cela aussi je peux le faire. » Et c'est ce qu'elle fit.

LE VOYAGE DU RENARD

Un renard, qui creusait la terre près d'une souche, trouva un bourdon. Il le mit dans un sac et partit en voyage.

Dans la première maison qu'il vit, il entra et dit

à la maîtresse du logis : « Puis-je laisser mon sac chez vous tandis que je vais chez la Taupe ? »

— Oui, dit la femme.

— Mais prenez garde de ne pas l'ouvrir », dit le renard. Mais à peine eut-il disparu que la femme jeta un petit coup d'œil dans le sac, et le bourdon s'envola. Alors le coq vint et l'avala.

Peu après, le renard fut de retour. Il prit son sac et vit que son bourdon n'y était plus. Il dit à la femme : « Où est mon bourdon ? »

Et la femme dit : « J'ai simplement dénoué le sac, le bourdon s'est envolé, et le coq l'a avalé.

— Très bien, dit le renard, puisque c'est ainsi, je prendrai le coq. »

Alors il prit le coq, le mit dans son sac, et continua son chemin.

Dans la seconde maison qu'il vit, il entra et dit
à la maîtresse du logis : « Puis-je laisser mon sac
chez vous tandis que je vais chez la Taupe ?

— Oui, dit la femme.

— Mais prenez garde de ne pas l'ouvrir », dit le

renard. Mais à peine eut-il disparu, que la femme jeta un petit coup d'œil dans le sac, et le coq s'envola. Alors vint le cochon qui le dévora.

Peu après le renard fut de retour. Il prit son sac et vit que le coq n'y était plus. Il dit à la femme : « Où est mon coq ? »

Et la femme dit : « J'ai simplement dénoué le sac, le coq s'est envolé et le cochon l'a dévoré.

— Très bien, dit le renard, puisque c'est ainsi, je prendrai le cochon. »

Alors il prit le cochon, le mit dans son sac et continua son chemin.

Dans la troisième maison qu'il vit, il entra et dit

à la maîtresse du logis : « Puis-je laisser mon sac chez vous tandis que je vais chez la Taupe ?

— Oui, dit la femme.

— Mais prenez garde de ne pas l'ouvrir », dit le renard. Mais à peine eut-il disparu que la femme jeta un petit coup d'œil dans le sac, et le cochon se sauva. Alors vint le bœuf, qui le mangea.

Peu après, le renard fut de retour. Il prit son sac et vit que le cochon n'y était plus. Il dit à la femme : « Où est mon cochon ? »

Et la femme dit : « J'ai simplement dénoué le sac, le cochon s'est sauvé et le bœuf l'a mangé.

— Très bien, dit le renard, je vais prendre le bœuf. »

Alors il prit le bœuf, le mit dans son sac et continua son chemin.

Dans la quatrième maison qu'il vit, il entra et dit à la maîtresse du logis : « Puis-je laisser mon sac chez vous tandis que je vais chez la Taupe ?

— Oui, dit la femme.

— Mais prenez garde de ne pas l'ouvrir », dit le renard. Mais à peine eut-il disparu que la femme jeta un petit coup d'œil dans le sac, et le bœuf

sortit. Alors vint le petit garçon de la femme, qui le chassa à travers champs.

Peu après, le renard fut de retour. Il prit son sac et vit que le bœuf n'y était plus. Il dit à la femme : « Où est mon bœuf ? »

Et la femme dit : « J'ai simplement dénoué la ficelle, le bœuf est sorti et mon petit garçon l'a chassé à travers champs.

— Très bien, dit le renard, puisque c'est ainsi, je prendrai le petit garçon. »

Alors il prit l'enfant, le mit dans son sac et continua son chemin.

Dans la cinquième maison qu'il vit, il entra et dit

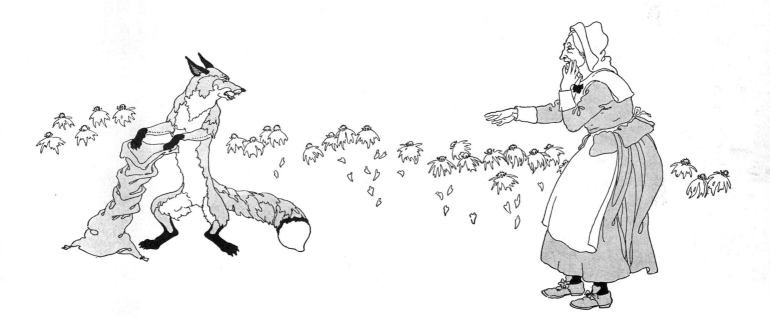

à la maîtresse du logis : « Puis-je laisser mon sac chez vous tandis que je vais chez la Taupe ?

— Oui, dit la femme.

— Mais prenez garde de ne pas ouvrir le sac », dit le renard.

La femme faisait un gâteau, et ses enfants, assis autour d'elle, lui en réclamaient.

« Oh! maman, donne-m'en un morceau », disait l'un; et les autres disaient : « Oh! maman, donne-m'en aussi. »

Et l'odeur du gâteau vint aux narines du petit garçon qui pleurait et gémissait dans le sac. Il entendit les enfants, alors il dit aussi : « Oh ! maman, donne-m'en un morceau. »

Alors la femme ouvrit le sac et délivra le petit garçon. Puis, à sa place dans le sac, elle mit le chien de garde de la maison.

Et le petit garçon cessa de pleurer et mangea du gâteau avec les autres.

Peu après, le renard fut de retour. Il prit son sac et vit qu'il était bien fermé ; il le mit sur son dos et s'éloigna au plus profond de la forêt. Là, il s'assit, dénoua le sac, et si le petit garçon était resté dedans, il aurait connu bien des malheurs.

Mais l'enfant était à l'abri dans la maison de la femme, et quand le renard dénoua le sac, ce fut le chien qui bondit sur lui et le dévora.

LES TROIS OURS

Il était une fois, dans un pays très lointain, une petite fille que l'on appelait Boucles d'Or, à cause de sa belle chevelure blonde.

Boucles d'Or aimait gambader et jouer. Elle

adorait courir dans les bois pour cueillir les fleurs sauvages ou chasser les papillons à travers champs.

Un jour qu'elle folâtrait de-ci, de-là, elle se trouva soudain dans un bois étrange et solitaire. Et dans ce bois, elle vit une belle petite maison.

Mais Boucles d'Or ne savait pas que trois ours vivaient là. L'un était un Grand Gros Ours, l'autre un Ours de Taille Moyenne, et le dernier un Tout Petit Ours.

La porte de la maisonnette était ouverte ; Boucles d'Or jeta un coup d'œil et vit que la pièce était vide. Elle entra pour visiter un peu ; il n'y avait personne. Les trois ours venaient de partir en promenade, laissant sur la table leurs trois bols de soupe à refroidir.

La soupe sentait si bon que Boucles d'Or eut envie d'y goûter. Elle trempa ses lèvres dans la soupe du grand bol, celui du Grand Gros Ours, mais la trouva trop chaude.

Puis elle goûta la soupe du bol moyen, qui appartenait à l'Ours de Taille Moyenne, mais la trouva trop froide.

Puis elle goûta la soupe du tout petit bol, celui du Tout Petit Ours, et la trouva juste à son goût ; alors elle l'avala tout entière.

Boucles d'Or regarda ensuite autour d'elle et vit trois chaises. Elle essaya d'abord la grande grosse chaise, celle du Grand Gros Ours, mais la trouva trop dure.

Puis elle essaya la chaise moyenne, qui appar-

tenait à l'Ours de Taille Moyenne, mais la trouva trop molle.

Elle essaya enfin la toute petite chaise, celle du Tout Petit Ours, et la trouva juste à sa taille. Mais quand elle voulut s'y asseoir, la chaise se cassa.

Boucles d'Or se sentait très fatiguée et elle entra dans une autre pièce où elle vit trois lits. Elle s'allongea sur le grand gros lit, celui du Grand Gros Ours, mais trouva l'oreiller trop haut pour elle.

Puis elle essaya le lit moyen, qui appartenait à l'Ours de Taille Moyenne, mais trouva l'oreiller trop bas pour elle.

Enfin elle essaya le tout petit lit, celui du Tout Petit Ours, et le trouva juste à sa convenance ; alors elle s'y allongea et s'endormit profondément.

Tandis que Boucles d'Or dormait, les trois ours rentrèrent de leur promenade et se précipitèrent à la cuisine pour manger leur soupe.

Le Grand Gros Ours regarda dans son bol et dit, de sa grosse voix : « Quelqu'un a touché à ma soupe ! »

Puis l'Ours de Taille Moyenne regarda dans son

bol et dit, d'une voix plus douce : « Quelqu'un a touché à ma soupe ! »

Et le Tout Petit Ours regarda dans son bol et s'écria, de sa toute petite voix : « Quelqu'un a goûté ma soupe et l'a avalée tout entière ! »

Alors ils regardèrent leurs chaises, et le Grand Gros Ours dit : « Quelqu'un s'est assis sur ma chaise ! »

Et l'Ours de Taille Moyenne dit : « Quelqu'un s'est assis sur ma chaise ! »

33

Et le Tout Petit Ours s'écria : « Quelqu'un s'est assis sur ma chaise et l'a mise en morceaux ! »

Les trois ours allèrent dans leur chambre, et le Grand Gros Ours dit : « Quelqu'un s'est couché sur mon lit ! »

Et l'Ours de Taille Moyenne dit : « Quelqu'un s'est couché sur mon lit ! »

Et le Tout Petit Ours s'écria : « Quelqu'un s'est couché dans mon lit et y est encore ! C'est une petite fille ! »

A ces mots Boucles d'Or se réveilla en sursaut et, de frayeur, sauta par la fenêtre la plus proche. Elle courut aussi vite que ses jambes pouvaient la porter, et jamais ne revint vers la belle petite maison des trois ours.

LE BŒUF DE PAILLE

Il était une fois un vieil homme et une vieille femme. Le vieil homme travaillait dans les champs comme brûleur de goudron, tandis que la vieille femme filait le lin à la maison. Ils étaient si pauvres qu'ils ne pouvaient économiser un seul sou ; tout l'argent qu'ils gagnaient suffisait à peine à les nourrir, et c'était tout. Un jour, la vieille femme eut une bonne idée.

« Écoute, mon mari, s'écria-t-elle, tu vas me fabriquer un bœuf de paille et tu l'enduiras de goudron.

— Allons, pauvre femme ! dit-il, à quoi pourrait nous servir un bœuf de cette sorte ?

— Ne t'inquiète pas, dit-elle. Contente-toi de le faire. Je sais ce que je veux. »

Que pouvait faire le pauvre homme ?

Il se mit au travail et fabriqua le bœuf de paille, qu'il recouvrit de goudron.

La nuit s'écoula, et au petit jour la vieille femme prit sa quenouille et mena le bœuf de paille au pâturage ; elle s'assit derrière un monticule et se mit à filer le lin, en criant :

« Broute, broute, petit bœuf, tandis que je file mon lin ; broute, broute, tandis que je file mon lin ! » Et pendant qu'elle filait, elle se mit à somnoler.

Et pendant qu'elle sommeillait, du cœur des bois sombres et du fond des grands pins vint un ours qui se précipita sur le bœuf et lui dit :

« Qui es-tu ? Si tu parles, dis-le moi ! »

Et le bœuf lui dit :

« Génisse de trois ans je suis, faite de paille, et de goudron enduite.

— Oh! dit l'ours. Bourrée de paille et peinte de goudron, dis-tu? Alors donne-moi de ta paille et de ton goudron, pour que j'en rapièce ma fourrure abîmée!

— Sers-toi », dit le bœuf; et l'ours se jeta sur lui pour déchiqueter le goudron.

Il déchira, déchira, planta ses dents dedans, mais bientôt il ne put plus s'en défaire. Il tira, tira, tira, mais ce fut inutile, et le bœuf s'éloigna en le traînant, qui peut dire où?

Quand la vieille femme se réveilla, la bœuf avait disparu. « Hélas! Quelle idiote je fais! s'écria-t-elle. Mais peut-être sera-t-il rentré à la maison? »

Prestement elle ramassa quenouille et bobine, les jeta sur son épaule et partit chez elle; là elle vit que le bœuf avait traîné l'ours jusqu'à la barrière, et elle alla trouver son mari. « Petit père! lui dit-elle, regarde! Le bœuf nous a ramené un ours. Viens vite le tuer! »

Alors le vieil homme bondit, délivra l'ours du goudron, le ligota et le poussa dans le cellier.

Le lendemain, entre la nuit et l'aube, la vieille

femme prit sa quenouille et mena paître le bœuf
dans la steppe. Elle s'assit près d'un monticule et
commença à filer en disant :

« Broute, broute, petit bœuf, tandis que je file
mon lin ! Broute, broute, tandis que je file mon

lin ! » Et pendant qu'elle filait, elle se mit à somnoler. Et voici que du cœur des bois sombres et du
fond des grands pins vint un loup gris, qui se
précipita vers le bœuf et lui dit :

« Qui es-tu ? Allez, dis-le moi !

— Génisse de trois ans je suis, faite de paille, et de goudron enduite, dit le bœuf.

— Oh ! couverte de goudron, dis-tu ? Alors donne-moi de ton goudron pour protéger mes flancs, afin que les chiens et leurs petits ne me déchirent plus !

— Sers-toi », dit le bœuf. Alors le loup se jeta sur lui pour prendre du goudron. Il tira, tira, déchira à belles dents, mais rien ne vint. Alors il voulut lâcher, ce fut impossible ; il eut beau tirer de toutes ses forces et se débattre, ce fut en vain.

Quand la vieille femme se réveilla, le bœuf n'était plus là. « Peut-être sera-t-il rentré à la maison ! s'écria-t-elle. Je m'en vais voir. »

Quelle ne fut pas sa surprise, en arrivant, de voir le bœuf debout près de la clôture et le loup qui tentait encore de se délivrer. Elle courut le dire au vieil homme, qui jeta le loup dans le cellier.

Le troisième jour, la femme conduisit encore son bœuf au pâturage, s'installa près d'un monticule et s'endormit.

Un renard vint à passer.

« Qui es-tu ? demanda-t-il au bœuf.

— Génisse de trois ans je suis, bourrée de paille, et de goudron enduite.

— Donne-moi de ton goudron pour protéger mes flancs quand les chiens et leurs petits en veulent à ma peau.

— Sers-toi », dit le bœuf. Le renard planta donc ses crocs, mais ne put bientôt plus s'en défaire. La vieille femme courut le dire à son mari, qui prit le renard et le jeta, lui aussi, dans le cellier. Ainsi prirent-ils ensuite Pied-Agile, le lièvre.

Quand il les eut tous mis en sécurité, le vieil homme s'assit sur un banc devant le cellier et entreprit d'affûter son couteau. Alors l'ours lui dit :

« Dis-moi, petit père, pourquoi aiguises-tu ton couteau ?

— Pour faire avec ta fourrure un manteau pour mes vieux os, et une pelisse pour ma femme.

— Oh ! laisse-moi ma peau, cher petit père. Et si tu me laisses partir, je te rapporterai du miel.

— Eh bien, voyons si tu tiens parole », et le vieil homme détacha l'ours et le laissa partir. Puis il s'assit sur le banc et continua à affûter son couteau. Alors le loup lui dit :

« Pourquoi, petit père, aiguises-tu ton couteau ?

— Pour me faire avec ta fourrure une chaude casquette contre l'hiver.

— Oh ! laisse-moi ma peau, cher petit père, et

je te rapporterai tout un troupeau de moutons.

— Eh bien, voyons si tu tiens parole », et il laissa partir le loup. Puis il s'assit et recommença à affûter son couteau.

Le renard pointa son museau à la fenêtre et dit :

« Aurais-tu l'amabilité, petit père, de me dire pourquoi tu aiguises ton couteau?

— Les renards, dit le vieil homme, ont une bien jolie fourrure; on peut en faire des cols ou des ornements du plus bel effet.

— Oh ! laisse-moi ma peau, cher petit père, et je te rapporterai des poules et des oies.

— Eh bien, voyons si tu tiens parole », et il laissa partir le renard.

Le lièvre était seul maintenant, et le vieil homme se remit à affûter son couteau.

« Pourquoi fais-tu cela ? lui demanda le lièvre, et il répondit :

— Les petits lièvres ont une douce fourrure bien chaude, et j'ai besoin de gants et de mitaines pour l'hiver ; tu feras mon affaire.

— Oh ! cher petit père, laisse-moi ma peau, et je te rapporterai du chou et du bon chou-fleur, si je peux partir. »

Alors il laissa partir le lièvre.

Le vieil homme et la vieille femme allèrent se coucher, mais très tôt le lendemain, entre la nuit et l'aube, il y eut un bruit à la porte : « Frrrttt ! »

« Petit père ! s'écria la vieille femme, quelqu'un gratte à la porte ; va donc voir qui c'est ! »

Le vieil homme sortit, et là se tenait l'ours, qui portait toute une ruche remplie de miel. Le vieil homme l'accepta avec plaisir.

A peine s'était-il allongé qu'il y eut un autre « Frrrttt » à la porte. Le vieil homme sortit et vit le

loup, qui menait dans la cour tout un troupeau de moutons. Juste après, venait le renard, poussant devant lui des oies, des poules et toutes sortes de volailles ; et en dernier venait le lièvre, chargé de choux et de choux-fleurs, et de bonne nourriture.

Alors le vieil homme fut heureux, et heureuse fut la vieille femme. Ils vendirent les moutons et devinrent si riches qu'ils n'eurent plus besoin de rien.

Quant au bœuf de paille, il resta debout au soleil jusqu'au jour où il tomba en morceaux.

LA VIEILLE FEMME ET SON COCHON

Une vieille femme, en balayant sa cour, trouva un vieux sou. « Que vais-je faire de ce sou ? songea-t-elle. Je m'en irai au marché et j'achèterai un cochon. »

Alors la vieille femme s'en alla au marché et acheta un cochon. Sur le chemin du retour, elle arriva devant une haie, que le cochon refusa de sauter.

« Cochon, cochon, saute la haie,
Ou chez moi je ne peux rentrer. »
Mais le cochon refusa.

Alors, allant plus loin, elle rencontra un chien et lui dit :

« Chien, chien, mords le cochon
Qui ne veut pas sauter la haie,
Car chez moi je ne peux rentrer. »
Mais le chien refusa.

Alors, allant plus loin, elle rencontra un bâton et lui dit :

« Bâton, bâton, frappe le chien
Qui ne veut pas mordre le cochon
Qui ne veut pas sauter la haie,
Car chez moi je ne peux rentrer. »
Mais le bâton refusa.

Alors, allant plus loin, elle rencontra un feu et lui dit :

« Flamme, flamme, brûle le bâton
Qui ne veut pas frapper le chien
Qui ne veut pas mordre le cochon

Qui ne veut pas sauter la haie,
Car chez moi je ne peux rentrer. »
Mais le feu refusa.
Alors, allant plus loin, elle rencontra de l'eau et
lui dit :

« Eau, belle eau, éteins la flamme
Qui ne veut pas brûler le bâton
Qui ne veut pas frapper le chien
Qui ne veut pas mordre le cochon
Qui ne veut pas sauter la haie,

Car chez moi je ne peux rentrer. »

Mais l'eau refusa.

Alors, allant plus loin, elle rencontra un bœuf et lui dit :

« Bœuf, bœuf, bois cette eau

Qui ne veut pas éteindre la flamme
Qui ne veut pas brûler le bâton
Qui ne veut pas frapper le chien
Qui ne veut pas mordre le cochon
Qui ne veut pas sauter la haie,
Car chez moi je ne peux rentrer. »
Mais le bœuf refusa.

Alors, allant plus loin, elle rencontra un boucher et lui dit :

« Boucher, boucher, enferme le bœuf
Qui ne veut pas boire l'eau
Qui ne veut pas éteindre la flamme
Qui ne veut pas brûler le bâton
Qui ne veut pas frapper le chien
Qui ne veut pas mordre le cochon
Qui ne veut pas sauter la haie,
Car chez moi je ne peux rentrer. »
Mais le boucher refusa.

Alors, allant plus loin, elle rencontra une corde et lui dit :

« Corde, corde, fouette le boucher
Qui ne veut pas enfermer le bœuf
Qui ne veut pas boire l'eau
Qui ne veut pas éteindre la flamme
Qui ne veut pas brûler le bâton

Qui ne veut pas frapper le chien
Qui ne veut pas mordre le cochon
Qui ne veut pas sauter la haie,
Car chez moi je ne peux rentrer. »
Mais la corde refusa.

Alors, allant plus loin, elle rencontra un rat et lui dit :

« Rat, rat, ronge la corde
Qui ne veut pas fouetter le boucher
Qui ne veut pas enfermer le bœuf
Qui ne veut pas boire l'eau
Qui ne veut pas éteindre la flamme
Qui ne veut pas brûler le bâton
Qui ne veut pas frapper le chien
Qui ne veut pas mordre le cochon
Qui ne veut pas sauter la haie,
Car chez moi je ne peux rentrer. »

Mais le rat refusa.

Alors, allant plus loin, elle rencontra un chat et lui dit :

« Chat, Chat, mords le rat
Qui ne veut pas ronger la corde
Qui ne veut pas fouetter le boucher
Qui ne veut pas enfermer le bœuf
Qui ne veut pas boire l'eau
Qui ne veut pas éteindre le feu
Qui ne veut pas brûler le bâton
Qui ne veut pas frapper le chien
Qui ne veut pas mordre le cochon
Qui ne veut pas sauter la haie,

Car chez moi je ne peux rentrer. »

Mais le chat lui dit : « Si vous me donnez une
soucoupe de lait, le rat je mordrai. » Alors la vieille
femme donna une poignée de foin à une vache
qui était près de là, et la vache lui donna une

soucoupe de lait. Puis la vieille femme donna le lait au chat et voici ce qui arriva :

Le chat mordit le rat ; le rat commença à ronger la corde ; la corde fouetta le boucher ; le boucher voulut enfermer le bœuf ; le bœuf se mit à boire l'eau ; l'eau essaya d'éteindre le feu ; le feu tenta de brûler le bâton ; le bâton se mit à frapper le chien ; le chien mordit le cochon ; le cochon sauta par-dessus la haie, et la vieille femme chez elle put rentrer.

LES TROIS PETITS COCHONS

Il y a bien longtemps, vivait une truie qui avait trois petits cochons. Mais elle était si pauvre que ses enfants durent la quitter pour chercher fortune.

Le premier petit cochon qui partit dans le

monde vit un homme chargé de paille et lui dit :
« Avec cette paille, Monsieur, je pourrais me faire
une maison. »

Alors l'homme lui donna sa paille, et il se fit une
maison de paille, où il s'installa.

Un jour, un loup qui passait par là frappa à la porte de la maisonnette.

« Petit cochon, petit cochon, ouvre-moi ta maison ! cria le loup.

— Par les trois poils de ma barbichette, je

n'ouvre pas ma maisonnette, répondit le petit cochon.

— Alors de tout mon souffle je soufflerai sur ta maison », dit le loup.

Et de tout son souffle il souffla sur la maison qui s'envola, et le petit cochon s'échappa.

Le second petit cochon qui partit dans le monde vit un homme chargé de branchages et lui dit : « Avec ces branches, Monsieur, je pourrais me faire une maison. »

Alors l'homme lui donna son bois, et il se fit une maison de bois, où il s'installa.

Un jour, le loup qui passait par là frappa à la porte de la maisonnette.

« Petit cochon, petit cochon, ouvre-moi ta maison ! cria le loup.

— Par les trois poils de ma barbichette, je n'ouvre pas ma maisonnette, répondit le petit cochon.

— Alors de tout mon souffle je soufflerai sur ta maison », dit le loup.

Et de tout son souffle il souffla sur la maison qui s'envola, et le petit cochon s'échappa.

Le dernier petit cochon qui partit dans le monde vit un homme chargé de briques et lui dit : « Avec

ces briques, Monsieur, je pourrais me faire une maison. »

Et l'homme lui donna les briques, et il se fit une maison de briques, où il s'installa.

Alors le loup qui passait par là frappa à la porte

de la maisonnette.

« Petit cochon, petit cochon, ouvre-moi ta maison ! cria le loup.

— Par les trois poils de ma barbichette, je n'ouvre pas ma maisonnette, répondit le petit cochon.

— Alors de tout mon souffle je soufflerai sur ta maison », dit le loup.

Et de tout son souffle il souffla, souffla, souffla, mais pas une brique ne bougea.

Le loup se reposa un moment, puis il dit : « Petit cochon, petit cochon, laisse-moi simplement passer le bout de mon nez !

— Non, dit le petit cochon.

— Petit cochon, tu m'épates, mais laisse-moi glisser la patte !

— Non, dit le petit cochon.

— Petit cochon, laisse-moi, juste un peu, glisser le bout de ma queue !

— Non, dit le petit cochon.

— Alors je grimperai sur le toit, et par la cheminée j'entrerai chez toi ! » dit le loup.

Mais le petit cochon fit une grande flambée et le loup ne put descendre par la cheminée. Alors il s'en alla et disparut de la contrée. On ne le vit plus jamais.

Le petit cochon alla chercher sa mère, et ils vivent heureux, aujourd'hui, dans la petite maison de briques.

TAK ET TAKI

Tak Souris et Taki Souris vivaient ensemble dans une maison.

Tak Souris alla aux champs pour cueillir un épi de maïs, et Taki Souris fit de même.

Toutes deux allèrent aux champs.

Tak Souris égrena son épi de maïs, et Taki Souris fit de même.

Toutes deux égrenèrent leur épi de maïs.

Tak Souris confectionna une galette, et Taki Souris fit de même.

Toutes deux firent une galette.

Et Taki Souris mit sa galette dans le chaudron pour la faire cuire.

Mais quand Tak voulut faire cuire la sienne, le

chaudron se renversa et la brûla.

Alors Taki s'assit pour pleurer ; et un tabouret lui dit :

« Pourquoi pleures-tu, Taki ?

— Tak est morte, dit Taki, c'est pourquoi je pleure.

— Alors, dit le tabouret, je vais sauter. » Et il se mit à sauter. Un balai qui était dans un coin de la pièce lui dit : « Pourquoi sautes-tu, Tabouret ? — Oh ! dit le tabouret, Tak est morte et Taki pleure, c'est pourquoi je saute. — Alors, dit le balai, je frotterai. »

Et il se mit à frotter.

« Mais, dit la porte, pourquoi frottes-tu ainsi, Balai ? — Oh ! dit le balai, Tak est morte et Taki pleure, le tabouret saute et moi je frotte. — Alors, dit la porte, je vais claquer. » Et elle se mit à claquer.

« Mais, dit la fenêtre, pourquoi claques-tu ainsi, Porte ? — Oh ! dit la porte, Tak est morte et Taki pleure, le tabouret saute et le balai frotte, c'est pourquoi je claque.

— Alors, dit la fenêtre, je craquerai. »

Et elle se mit à craquer.

Il y avait un vieux banc devant la maison, et quand il entendit la fenêtre craquer, il lui dit : « Pourquoi craques-tu ainsi, Fenêtre ? — Oh ! dit la fenêtre, Tak est morte et Taki pleure, le tabouret saute et le balai frotte, la porte claque, c'est pourquoi je craque.

— Alors, dit le banc, je vais courir autour de la maison. » Et le vieux banc se mit à courir.

Il y avait aussi, près de la chaumière, un splendide noyer, et l'arbre dit au banc : « Pourquoi cours-tu ainsi autour du logis ? — Oh ! dit le banc,

Tak est morte et Taki pleure, le tabouret saute et le balai frotte, la porte claque, la fenêtre craque, alors je cours autour du logis.

— Alors, dit le noyer, je perdrai mon feuillage. »
Et il laissa tomber toutes ses belles feuilles vertes.

Un petit oiseau, perché sur l'une de ses branches, regarda tomber les feuilles, et dit : « Pourquoi perds-tu ainsi ton feuillage, Noyer ? — Oh ! dit le noyer, Tak est morte et Taki pleure, le tabouret saute et le balai frotte, la porte claque, la fenêtre craque, le banc court autour du logis, c'est pourquoi je m'effeuille.

— Alors, dit l'oiseau, je perdrai toutes mes plumes. »

Et il laissa tomber son joli duvet.

Une petite fille qui passait, portant un pot de lait pour le repas de ses sœurs et de ses frères, vit le pauvre oiseau qui se déplumait, et lui dit : « Pourquoi perds-tu ainsi tes plumes, bel oiseau ? — Oh ! dit le petit oiseau, Tak est morte et Taki pleure, le tabouret saute et le balai frotte, la porte claque, la fenêtre craque, le banc court autour du logis, le noyer s'effeuille et je perds mes plumes.

— Alors, dit la fillette, je renverserai le lait. »

Et elle laissa tomber son pot de lait.

Un vieil homme, qui recouvrait de chaume une

meule de foin, perché en haut d'une échelle, vit
la fillette renverser son lait, et lui dit : « Pour quelle
raison gaspilles-tu ton lait, petite ? Tes frères et
sœurs iront au lit sans souper, ce soir. »

Alors la fillette expliqua : « Tak est morte et Taki

pleure, le tabouret saute et le balai frotte, la porte claque, la fenêtre craque, le banc court autour du logis, le noyer s'effeuille, l'oiseau se déplume, c'est pourquoi je renverse mon lait.

— Oh ! dit le vieil homme, puisque c'est ainsi, je tomberai de l'échelle et me romprai le cou. »

Et il tomba de l'échelle et se rompit le cou.

Et quand il se rompit le cou, à grand fracas le noyer s'effondra sur le banc et la maison, et la maison écrasa la fenêtre, la fenêtre défonça la porte, la porte renversa le balai, qui renversa le tabouret, et la pauvre petite souris fut enterrée sous les ruines.

JEANNOT
ET LES TROIS CHÈVRES

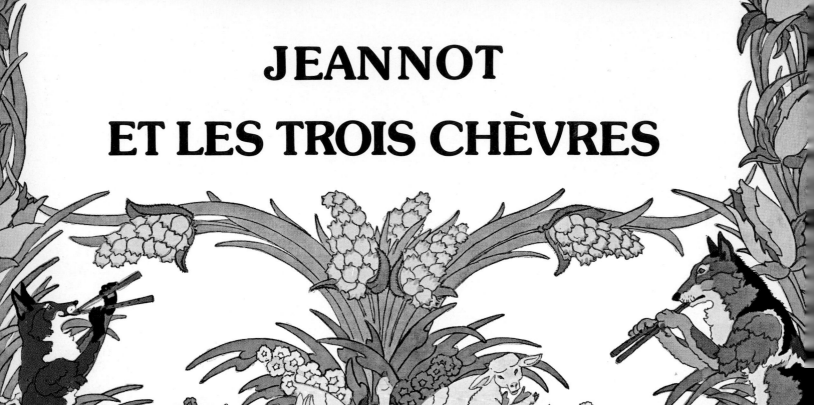

Tous les matins, Jeannot menait ses trois chèvres au pâturage et tous les soirs, au coucher du soleil, il les ramenait à la maison.

Un matin, il se mit en route de bonne heure, poussant ses chèvres devant lui et sifflant un air

joyeux.

Comme il atteignait un champ de navets, il vit qu'une planche de la clôture était cassée.

Les chèvres aussi le virent! Et les voilà qui sautent, gambadent dans le champ, ne s'arrêtant que pour mordiller les feuilles tendres des jeunes navets.

Jeannot jugea que l'affaire était grave.

Il ramassa un bâton, se faufila dans la clôture, et tenta de chasser les chèvres.

Mais jamais chèvres n'avaient été plus insolentes.

Elles poursuivaient leurs gambades d'un bout à l'autre du champ, sans même jeter un regard vers la clôture.

Jeannot courut, courut jusqu'à perdre haleine, et quand il fut à bout de forces, il se glissa hors du champ, s'effondra au bord de la route et se mit à pleurer.

C'est alors que le renard, qui se promenait, passa près de lui.

« Bonjour, Jeannot! dit-il. Pourquoi pleures-tu ainsi?

— Je pleure car je ne peux chasser les chèvres

du champ de navets, dit Jeannot.

— Oh ! ne pleure donc pas, dit le renard. Je les ferai sortir du champ, moi. »

Et le renard bondit par-dessus la clôture et se mit à poursuivre les chèvres parmi les navets.

Mais rien à faire, elles refusaient de sortir.

Elles remuaient la queue, secouaient la tête et repartaient de plus belle, piétinant les navets, de sorte qu'il devint bientôt impossible de deviner ce qui avait poussé là.

Le renard courut jusqu'au bout de ses forces.

Puis il vint s'asseoir près de Jeannot et se mit à pleurer.

C'est alors que sur la route vint à passer un lapin.

« Bonjour, Renard, dit-il. Pourquoi pleures-tu ainsi ?

— Je pleure car Jeannot pleure, dit le renard, et Jeannot pleure car il ne peut chasser les chèvres du champ de navets.

— Allons, allons ! dit le lapin, quelle idée de pleurer pour ça ! Regardez-moi. En un clin d'œil, je les ferai sortir du champ. »

Et il bondit par-dessus la clôture.

Et le voici courant, sautant derrière les chèvres,

78

qui jamais ne se rapprochaient du trou dans la clôture.

A la fin le lapin fut si fatigué qu'il ne put faire un bond de plus.

Il rampa sous la barrière, s'assit près du renard et se mit à pleurer.

C'est alors que vint une abeille qui bourdonnait parmi les fleurs.

Elle vit le lapin et lui dit : « Bonjour, Lapin, pourquoi pleures-tu ainsi ?

— Je pleure car le renard pleure, dit le lapin, et le renard pleure car Jeannot pleure, et Jeannot pleure car il ne peut chasser les chèvres du champ de navets.

— Cessez de pleurer, dit l'abeille, je les ferai vite sortir du champ, moi.

— Toi ! s'écria le lapin, tu prétends faire sortir les chèvres, quand ni Jeannot, ni le renard, ni moi n'y sommes parvenus ? » Et il se mit à rire.

« Regardez », dit l'abeille.

Elle s'envola dans le champ et se mit à bourdonner à l'oreille de la plus vieille chèvre, « bzzz », « bzzz ».

La chèvre secoua la tête pour tenter de la chasser, mais l'abeille vola vers l'autre oreille et poursuivit ses « bzzz », « bzzz », si bien que la chèvre finit par penser qu'il se passait des choses effrayantes dans ce champ de navets, et elle se faufila dans le trou de la clôture, pour courir vers son pâturage.

L'abeille vola vers la seconde chèvre et reprit ses « bzzz », « bzzz », dans une oreille, puis dans l'autre, alors la chèvre ne pensa plus qu'à suivre sa compagne à travers la clôture, pour courir vers son pâturage.

L'abeille se dirigea enfin vers la plus jeune qui, en entendant ces bourdonnements, suivit les autres sans demander son reste.

« Merci, petite abeille », dit Jeannot, puis en essuyant ses larmes, il reprit sa route en courant pour mener les chèvres au pâturage.

POUSSIN POUSSIF

Un jour que Poussin Poussif grattait parmi des feuilles, un gland tomba du chêne voisin sur son dos.

« Oh ! dit Poussin Poussif, le ciel tombe sur moi ! Je vais prévenir le roi. »

Il se mit en chemin et rencontra bientôt Poule Saoule.

« Bonjour, Poussin Poussif, où t'en vas-tu ? demanda Poule Saoule.

— Oh ! Poule Saoule, le ciel est tombé sur moi, et je vais prévenir le roi !

— Comment sais-tu que le ciel est tombé ? dit Poule Saoule.

— Je l'ai vu de mes propres yeux, et entendu avec mes oreilles, et puis un morceau est tombé sur mon dos ! dit Poussin Poussif.

— Alors je viens avec toi », dit Poule Saoule.
Et ils allèrent par les chemins, et rencontrèrent Coq Dutoc.

« Bonjour, Poule Saoule et Poussin Poussif, dit Coq Dutoc, où allez-vous ainsi ?

— Oh ! Coq Dutoc, le ciel est tombé là-bas, et nous allons prévenir le roi.

— Comment savez-vous que le ciel est tombé ? demanda Coq Dutoc.

— Poussin Poussif me l'a dit, répondit Poule Saoule.

— Je l'ai vu de mes propres yeux, et entendu avec mes oreilles, et puis un morceau est tombé sur mon dos ! dit Poussin Poussif.

— Alors je viens avec vous, dit Coq Dutoc,
nous irons prévenir le roi. »

Et ils allèrent par les chemins, et croisèrent
Canard Canaille.

« Bonjour, Coq Dutoc, Poule Saoule et Poussin

Poussif, dit Canard Canaille, où allez-vous de ce pas ?

— Oh! Canard Canaille, le ciel est tombé là-bas, et nous allons prévenir le roi !

— Mais comment savez-vous que le ciel est

tombé? demanda Canard Canaille.

— Poule Saoule me l'a dit, répondit Coq Dutoc.

— Poussin Poussif me l'a dit, ajouta Poule Saoule.

— Je l'ai vu de mes propres yeux, et entendu avec mes oreilles, et puis un morceau est tombé sur mon dos! dit Poussin Poussif.

— Alors je viens avec vous, dit Canard Canaille, nous irons prévenir le roi. »

Et ils allèrent par les chemins, et virent bientôt Oie Oisive.

« Bonjour, Canard Canaille, Coq Dutoc, Poule Saoule et Poussin Poussif, dit Oie Oisive, où allez-vous donc de ce pas?

— Oh! Oie Oisive, le ciel est tombé là-bas, et

nous allons prévenir le roi.

— Mais comment savez-vous que le ciel est tombé? demanda Oie Oisive.

— Coq Dutoc me l'a dit, répondit Canard Canaille.

— Poule Saoule me l'a dit, répondit Coq Dutoc.

— Poussin Poussif me l'a dit, ajouta Poule Saoule.

— Je l'ai vu de mes propres yeux, et entendu avec mes oreilles, et puis un morceau est tombé sur mon dos ! dit Poussin Poussif.

— Alors je viens avec vous, dit Oie Oisive, nous irons prévenir le roi ! »

Et ils se remirent en route, jusqu'au moment où Dindon Dandy croisa leur chemin.

« Bonjour, Oie Oisive, Canard Canaille, Coq Dutoc, Poule Saoule et Poussin Poussif, dit-il, mais où allez-vous donc de ce pas ?

— Oh ! Dindon Dandy, le ciel est tombé là-bas, et nous allons prévenir le roi !

— Mais comment savez-vous que le ciel est tombé ? demanda Dindon Dandy.

— Canard Canaille me l'a dit, répondit Oie Oisive.

— Coq Dutoc me l'a dit, répondit Canard Canaille.

— Poule Saoule me l'a dit, répondit Coq Dutoc.

— Poussin Poussif me l'a dit, ajouta Poule Saoule.

— Je l'ai vu de mes propres yeux, et entendu
avec mes oreilles, et puis un morceau est tombé
sur mon dos ! dit Poussin Poussif.

— Alors je viens avec vous, dit Dindon Dandy,
nous irons prévenir le roi. »

Et les voici partis ensemble par les chemins.
Bientôt ils rencontrèrent Renard Veinard.

« Bonjour, Dindon Dandy, Oie Oisive, Canard
Canaille, Coq Dutoc, Poule Saoule et Poussin
Poussif, dit Renard Veinard, où allez-vous donc

de ce pas?

— Oh! Renard Veinard, le ciel est tombé là-
bas, et nous allons prévenir le roi!

— Mais comment savez-vous que le ciel est
tombé? demanda Renard Veinard.

— Oie Oisive me l'a dit, répondit Dindon Dandy.

— Canard Canaille me l'a dit, répondit Oie Oisive.

— Coq Dutoc me l'a dit, répondit Canard Canaille.

— Poule Saoule me l'a dit, répondit Coq Dutoc.

— Poussin Poussif me l'a dit, ajouta Poule Saoule.

— Je l'ai vu de mes propres yeux, et entendu avec mes oreilles, et puis un morceau est tombé sur mon dos !

— Alors, courons vite, vite, à ma tanière, dit Renard Veinard, et je préviendrai le roi. »

Et tous se pressèrent vers la tanière de Renard Veinard, et le roi ne sut jamais que le ciel était tombé.

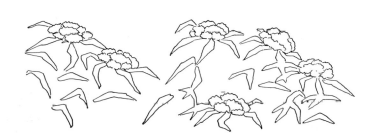

LE COQ, LE RAT

ET LA PETITE POULE ROUSSE

Il était une fois une colline, et sur la colline, une jolie petite maison.

Elle avait une petite porte verte et quatre fenêtres petites, avec des volets verts ; là vivaient un Coq, un Rat, et une Petite Poule Rousse.

Non loin de là, était une autre maisonnette, très laide. La porte ne fermait pas, les deux fenêtres étaient cassées, et les volets avaient depuis longtemps perdu leur peinture. C'est là que vivaient un cruel Renard et ses quatre méchants renardeaux.

Un matin, les quatre petits vinrent trouver le grand Renard, et lui dirent :

« Oh ! Père, nous avons tellement faim !

— Hier nous n'avons rien eu à manger, dit l'un.

— Et presque rien avant-hier, dit un autre.

— Et un demi-poulet seulement, le jour avant, dit le troisième.

— Deux petits canards seulement, le jour avant », dit le dernier.

Pendant un moment, le Renard secoua la tête, car il réfléchissait. Enfin, il dit d'une grosse voix :

« Sur la colline là-bas, je vois une maison. Et dans cette maison, il y a un Coq.

— Et un Rat, s'écrièrent deux des renardeaux.

— Et une Petite Poule Rousse, ajoutèrent les deux autres.

— Et ils sont beaux et bien gras, continua le Renard. Aujourd'hui même je prends mon grand sac, je grimpe sur la colline, je frappe à la porte, et dans mon sac je jette le Coq, le Rat et la Petite Poule Rousse.

— Je vais faire du feu pour rôtir le Coq, dit un renardeau.

— Je vais préparer le bouillon pour la Poule, dit le second.

— Je vais sortir la poêle pour faire frire le Rat, dit le troisième.

— Et moi je vous aiderai encore mieux quand tout sera cuit », dit le dernier qui était le plus gourmand des quatre.

Et les petits renards dansèrent de joie, tandis que leur père préparait son sac pour le voyage qu'il avait décidé.

Mais que faisaient donc pendant tout ce temps le Coq, le Rat et la Petite Poule Rousse?

Eh bien, c'est triste à dire, mais ce matin-là, le Coq et le Rat s'étaient levés du mauvais pied. Le Coq prétendait qu'il faisait trop chaud, et le Rat grommelait qu'il faisait trop froid.

C'est donc en grognant qu'ils descendirent à la cuisine, où la brave Petite Poule Rousse, vive comme un rayon de soleil, s'affairait.

« Qui va chercher du petit bois pour allumer le feu? demanda-t-elle.

— Pas moi, dit le Coq.

— Pas moi, dit le Rat.

— Eh bien, j'irai », dit la Petite Poule Rousse.
Et elle courut chercher du petit bois.

« Qui va aller remplir la bouilloire à la source ?
demanda-t-elle.

— Pas moi, dit le Coq.

— Pas moi, dit le Rat.

— Eh bien, j'irai », dit la Petite Poule Rousse. Et elle courut remplir la bouilloire.

« Qui va préparer le petit déjeuner ? demanda-t-elle en mettant la bouilloire sur le feu.

— Pas moi, dit le Coq.

— Pas moi, dit le Rat.

— Eh bien, je le ferai », dit la Petite Poule Rousse.

Pendant tout le petit déjeuner, le Coq et le Rat ne cessèrent de grogner et de se disputer. Le Coq renversa le pot à lait, et le Rat mit des miettes par terre.

« Qui va débarrasser la table ? » demanda la pauvre Petite Poule Rousse, espérant qu'ils seraient bientôt de meilleure humeur.

— Pas moi, dit le Coq.

— Pas moi, dit le Rat.

— Eh bien, je le ferai », dit la Petite Poule Rousse.

Et elle rangea tout, balaya les miettes et nettoya la cheminée.

« Qui va m'aider à faire les lits, maintenant ?

— Pas moi, dit le Coq.

— Pas moi, dit le Rat.

— Eh bien, je les ferai seule », dit-elle.

Et elle monta l'escalier de son pas léger.

Alors le Coq et le Rat s'installèrent paresseusement dans de confortables fauteuils près du feu et s'endormirent.

Pendant ce temps, le cruel Renard avait gravi la colline et pénétré dans le jardin, et si le Coq et le Rat ne s'étaient pas endormis, ils auraient vu ses yeux perçants scruter la pièce par la fenêtre. « Toc, toc, toc », frappa le Renard à la porte.

« Qui cela peut-il bien être ? dit le Rat, en ouvrant un œil.

— Va voir toi-même, si tu veux le savoir », lui dit le Coq, d'un ton hargneux.

« C'est sûrement le facteur, se dit le Rat, et peut-être a-t-il une lettre pour moi. » Et sans plus attendre, il souleva le loquet et ouvrit la porte.

A peine avait-il fait cela, que le Renard bondit dans la pièce, avec son grand sourire cruel !

« Oh ! Oh ! Oh ! » couina le Rat, et il grimpa le long de la cheminée.

« Cocorico ! » hurla le coq, en allant se percher sur le dossier du plus gros fauteuil.

Mais le Renard ne fit qu'en rire, et sans plus de

façons, il saisit le Rat par la queue et le laissa tomber dans le sac ; puis il prit le coq par le cou et lui fit subir le même sort.

C'est alors que la Petite Poule Rousse dévala l'escalier pour voir d'où venait tout ce bruit, et le

Renard l'attrapa et la fourra dans le sac avec les autres. Puis il tira de sa poche un long morceau de ficelle, qu'il enroula et enroula autour de l'ouverture du sac, et qu'il noua très fort. Après

quoi il jeta le sac sur son dos et se mit en route à travers la colline.

« Oh ! si seulement je n'avais pas été de mauvaise humeur ! dit le Coq, tandis qu'ils allaient, ballottés.

— Oh ! si seulement je n'avais pas été si

paresseux ! dit le Rat, en s'essuyant les yeux du bout de la queue.

— Il n'est jamais trop tard pour bien faire, dit la Petite Poule Rousse. Ne soyez donc pas tristes. Voyez, j'ai sur moi ma petite trousse à couture, avec une paire de ciseaux, un dé, une aiguille et du fil. Vous allez voir ce que nous allons faire. »

Le soleil était brûlant maintenant, et le Renard commençait à trouver son sac bien lourd ; aussi finit-il par décider qu'il s'allongerait sous un arbre pour dormir un petit moment. Il laissa tomber le sac sans douceur à ses côtés, et s'endormit bientôt très profondément.

Et ronfle, ronfle le Renard, qui dort d'un sommeil profond.

Dès qu'elle l'entendit, la Petite Poule Rousse sortit ses ciseaux et fit un trou dans le sac, juste assez large pour que le Rat puisse sortir.

« Vite, murmura-t-elle, cours aussi vite que tu peux et rapporte un caillou gros comme toi. »

Le Rat détala et revint bientôt, traînant après lui une pierre.

« Pousse-la à l'intérieur », dit la Petite Poule Rousse, et il la fourra dans le sac en un clin d'œil.

Puis la Petite Poule Rousse agrandit le trou, qui fut bientôt assez grand pour le Coq.

« Vite, dit-elle, cours chercher un caillou gros comme toi. »

Le Coq battit des ailes, sortit du sac et revint, hors d'haleine, chargé d'une grosse pierre, qu'il poussa à sa place.

Enfin la Petite Poule Rousse put sortir a son tour, et pousser dans le sac une pierre de sa taille. Puis elle enfila son aiguille, mit son dé et elle raccommoda la toile aussi vite qu'elle put.

Quand ce fut terminé, le Coq, le Rat et la Petite Poule Rousse coururent chez eux, tirèrent la porte, poussèrent les verrous, fermèrent les volets, descendirent les stores, et alors ils se sentirent à l'abri.

Le Renard dormit encore pendant un certain temps, et se réveilla enfin.

« Oh! la! la! dit-il, en se frottant les yeux, quand il vit que les ombres s'allongeaient dans l'herbe. Comme il est tard. Je dois vite rentrer à la maison. »

Et il descendit la colline en grognant et grommelant jusqu'à la rivière.

Splash! Un pied entra dans l'eau. Splash! L'autre le suivit, mais les cailloux dans le sac étaient si lourds qu'au second pas qu'il fit, le Renard trébucha et fut entraîné dans l'eau profonde.

Alors les poissons l'emmenèrent dans leurs grottes secrètes et on ne le revit plus jamais. Ce soir-là les quatre petites renards gourmands durent aller au lit sans souper.

Mais le Coq et le Rat ne grognèrent plus jamais. Ils allumèrent le feu, remplirent la bouilloire, préparèrent le petit déjeuner et firent tout le travail de la maison, tandis que la brave Petite Poule Rousse prit des vacances, assise dans le grand fauteuil.

Aucun renard ne revint plus troubler leur bonheur, et pour autant que je sache, ils vivent toujours dans la petite maison à la porte verte et aux volets verts, là-bas sur la colline.

LES MUSICIENS DE BRÊME

Il était un homme qui possédait un âne, et cet âne avait pour lui vaillamment porté des sacs au moulin, pendant des années et des années ; mais il se faisait vieux et ses forces s'épuisaient, si bien que la pauvre bête devenait de plus en plus incapable de travailler.

Son maître décida de ne plus le nourrir.

Mais l'âne, devinant que rien de bon ne se préparait pour lui, se sauva et prit la route qui menait à Brême.

« Là-bas, pensa-t-il, je pourrai devenir musicien de la ville. »

Quand il eut fait un bout de chemin, il rencontra un chien couché sur la route, haletant comme s'il était épuisé d'avoir couru.

« Bonjour ! Après quel gibier t'es-tu ainsi fatigué ? demanda l'âne.

— Oh ! dit le chien, je suis vieux, je m'affaiblis un peu plus chaque jour, et je ne chasse plus, alors mon maître a voulu me tuer ; je suis parti, mais comment gagnerai-je ma vie ?

— Écoute, dit l'âne, je vais à Brême pour être musicien municipal ; viens avec moi et apprends la musique. Je jouerai du luth et toi du tambour. »

Le chien trouva l'idée bonne, et ils se mirent en route.

Bientôt ils croisèrent un chat, assis au bord de la route, et triste comme trois jours de pluie.

« Eh bien, que t'arrive-t-il, mon vieux Moustache ? lui dit l'âne.

— Qui peut rire quand sa peau est en danger ?

répondit le chat. Je ne suis plus jeune, mes dents sont usées, et j'aime mieux rêver et ronronner devant le feu que chasser les souris, alors ma maîtresse a voulu me noyer. J'ai réussi à me sauver, mais que vais-je devenir? Les bons conseils sont rares; dites-moi où je peux aller.

— Viens avec nous à Brême. Tu connais la musique; tu deviendras musicien de la ville. »

Le chat trouva l'idée fameuse et se mit en chemin avec eux.

Peu après, les trois fugitifs arrivèrent devant un portail de ferme, où un coq chantait de toutes ses forces.

« Tu chantes à nous casser les oreilles, dit l'âne. Et pourquoi, s'il te plaît?

— J'ai annoncé le beau temps, répondit le coq, car c'est le jour de lessive de ma bonne maîtresse, et elle veut faire sécher son linge ; mais c'est demain dimanche, des invités sont attendus, et ma maîtresse est sans pitié : elle a dit à la cuisinière de me mettre dans la soupe demain, et c'est ce soir que ma tête sera coupée. Alors je chante de toutes mes forces, tant qu'il est encore temps.

— Écoute, vieux Crête-Rouge, dit l'âne, viens donc avec nous ; nous allons à Brême, là-bas tu trouveras certainement un meilleur sort que d'avoir le cou tranché. Tu as une bonne voix, et si nous faisons ensemble de la musique, le résultat sera étonnant. »

Le coq accepta l'invitation, et ils s'en furent tous les quatre.

Mais ils ne pouvaient atteindre Brême en un jour, et le soir les trouva dans un bois où ils décidèrent de passer la nuit. L'âne et le chien s'allongèrent sous un grand arbre, mais le chat et le coq choisirent les branches — le coq se percha tout en haut, pour s'y sentir plus en sécurité. Avant de s'endormir, il examina les quatre coins de l'horizon, et crut voir, dans le lointain, une petite lueur. Il cria à ses compagnons qu'il devait y avoir une maison non loin de là, car il voyait une lumière.

L'âne dit : « Eh bien ! levons-nous et allons-y, car la pension, ici, laisse un peu à désirer. »

Et le chien ajouta : « Oui, un os ou deux, avec un peu de viande autour, feraient mon délice. »

Les quatre amis se mirent donc en route vers cette lumière et arrivèrent bientôt devant une maison tout illuminée, où vivaient des brigands. L'âne, étant le plus grand, s'approcha de la fenêtre pour regarder.

« Que vois-tu, Barbe-Grise ? dit le coq.

— Ce que je vois ? répondit l'âne : une table couverte de mets et de boissons, et des brigands assis autour, qui se régalent.

— Voilà qui nous conviendrait, dit le coq.

— Oui, merveilleusement, dit l'âne, si seulement nous étions à leur place. »

Les animaux discutèrent alors le moyen de chasser les brigands, et se mirent enfin d'accord sur le plan qui leur parut le meilleur.

L'âne poserait ses pattes de devant sur le bord de la fenêtre, le chien grimperait sur son dos, le chat s'installerait sur le chien, et le coq irait se percher sur la tête du chat.

Quand ils furent ainsi disposés, au signal convenu, ils commencèrent leur musique. L'âne se mit à braire, le chien à aboyer, le chat à miauler et le coq s'égosilla ; puis, dans un fracas épouvantable, ils se précipitèrent dans la pièce, faisant voler en éclats toutes les vitres.

En entendant ce vacarme, les brigands bondirent sur leurs pieds et, persuadés qu'un fantôme était entré dans la pièce, s'enfuirent à toutes jambes.

Les quatre compagnons s'installèrent autour de la table, devant de bien beaux restes, et mangèrent comme s'ils devaient jeûner ensuite pendant un mois. Puis, quand le festin fut terminé, les musiciens éteignirent la lumière, et chacun se chercha un endroit douillet et confortable pour dormir.

L'âne se coucha dans le hangar, le chien

derrière la porte, le chat dans la cheminée, près des cendres tièdes, et le coq dans le poulailler; et comme ils étaient tous très fatigués de cette longue journée, ils s'endormirent aussitôt.

Peu après minuit, les brigands, cachés au loin,

virent qu'aucune lumière ne brillait plus dans la maison et que tout semblait calme ; alors leur chef dit : « Nous n'aurions pas dû nous laisser effrayer pour si peu. » Et il envoya l'un de ses hommes examiner la maison.

Celui-ci vit que tout était tranquille et se dirigea vers la cuisine pour allumer une bougie. Prenant les yeux brillants et farouches du chat pour des braises, il en approcha son allumette. Mais le chat, qui n'appréciait pas la plaisanterie, lui sauta au visage en crachant, toutes griffes dehors. L'homme, terrorisé, voulut s'enfuir par la porte de derrière, mais le chien, couché là, bondit et lui mordit la jambe. Comme il détalait à travers la cour, l'âne lui assena une méchante ruade de ses pattes arrière ; et le coq, réveillé par le vacarme, et déjà sur le qui-vive, s'égosilla du haut de son perchoir : « Cocorico ! Cocorico ! »

Le brigand prit ses jambes à son cou et revint vers son chef en s'écriant : « Dans la maison, il y a une horrible sorcière qui m'a sauté au visage et griffé de ses ongles pointus ; et près de la porte il y a un homme avec un poignard, qui m'a blessé à la jambe ; et dans le hangar, un monstre noir m'a frappé avec sa massue ; et sur le toit, était assis le

juge, et il criait : « C'est un escroc ! C'est un escroc ! »
J'ai réussi à m'enfuir. »

Dès lors, les brigands n'eurent plus le cœur de
revenir dans la maison ; mais les quatre musiciens
s'y trouvèrent si bien qu'ils ne purent se décider
à reprendre leur route et passèrent là le restant de
leurs jours.

LE PETIT AGNEAU

Il était une fois un petit agneau, tout petit, qui gambadait partout sur ses pattes fragiles et s'amusait follement. Un jour, il décida d'aller voir sa grand-mère, le cœur rempli de joie à la pensée de toutes les délicieuses choses qu'elle allait lui

donner ; mais voici que soudain, sur sa route, se dresse un chacal qui, examinant la tendre petite bête, lui dit :

« Petit agneau ! Doux agnelet ! Je vais TE MAN- GER ! »

Mais l'agneau fit une cabriole et lui dit :

« Chez Mamie je vais de ce pas,
Où je deviendrai gros et gras,
C'est alors que tu te régaleras. »

Le chacal estima l'affaire raisonnable et laissa passer l'agnelet.

Peu après il rencontra un vautour, et l'oiseau, dévorant des yeux le tendre morceau qui se tenait devant lui, lui dit :

« Petit agneau ! Doux agnelet ! Je vais TE MAN-GER ! »

Mais l'agneau fit une cabriole et lui dit :

« Chez Mamie je vais de ce pas,
Où je deviendrai gros et gras,
C'est alors que tu te régaleras. »

Le vautour estima l'affaire raisonnable et laissa passer l'agnelet.

Ainsi, chemin faisant, il vit un tigre, puis un loup, un chien et un aigle ; et tous, devant le beau petit morceau d'agneau planté devant eux, dirent :

« Petit agneau ! Doux agnelet ! Je vais TE MAN-
GER. »

Et à tous l'agneau répondit :

> « Chez Mamie je vais de ce pas,
> Où je deviendrai gros et gras,
> C'est alors que tu te régaleras. »

Il arriva enfin chez sa grand-mère et lui dit tout
de suite : « Vite, Mamie chérie, j'ai promis de
devenir gros et gras ; aussi, comme on doit tenir
ses promesses, je te demande de m'enfermer dans
le grenier à foin. »

Alors la grand-mère lui dit qu'il était gentil, et
l'enferma dans le grenier à foin ; et là, le gourmand
petit agneau resta sept jours entiers, à manger,
manger, et quand il ne fut plus qu'une petite boule
dandinante, sa grand-mère lui dit qu'il était aussi
gras qu'on pouvait le rêver, et qu'il était temps de
rentrer.

Mais le petit rusé répondit que c'était impossible, car des bêtes le mangeraient sûrement sur le chemin du retour : il était si tendre et si gras !

« Voici ce que tu vas faire, dit l'agneau ; avec la fourrure de mon petit frère qui est mort, tu

confectionneras un tambour dans lequel je m'installerai, et ainsi je pourrai rouler tranquillement par les chemins, car je suis aussi rond qu'un tambour. »

Alors la grand-mère fit un beau petit tambour en peau d'agneau, avec la laine à l'intérieur, et l'agnelet s'y blottit bien au chaud, dans une position confortable, et partit gaiement en roulant. Bientôt, il rencontra l'aigle qui demanda :

« Beau tambour ! Tambour de peau !

As-tu vu le petit agneau ? »

Et l'agneau, pelotonné dans son nid douillet, répondit :

« Il est mort dans le feu, comme tu mourras.

Va, beau tambour ! Tum-ba, tum-ba ! »

« Comme c'est triste ! » soupira l'aigle, songeant avec regret au tendre morceau qu'il avait laissé filer.

Cependant, le petit agneau poursuivait son chemin, riant tout seul et chantant :

« Tum-ba, tum-ba !

Tum-ba, tum-ba ! »

Et chaque animal qu'il rencontrait lui posait la même question :

« Beau tambour, tambour de peau,

As-tu vu le petit agneau ? »

Et à chacun d'eux, le petit rusé répliquait :

« Il est mort dans le feu, comme tu mourras.

Va, beau tambour ! Tum-ba, tum-ba ! »

Alors tous soupiraient en songeant au beau petit morceau qu'ils avaient laissé filer.

Vint le tour du chacal, qui clopinait sur la route ;
les yeux mornes, mais aigus comme des épingles,
il dit :

« Beau tambour, tambour de peau,

As-tu vu le petit agneau ? »

Et l'agneau, pelotonné dans son nid douillet,
répondit gaiement :

« Il est mort dans le feu, comme tu mourras.

Va, beau tambour ! Tum-ba tum... »

Mais il ne put continuer, car le chacal, qui avait
reconnu sa voix, s'écria : « C'est donc toi ! Tu as
changé de peau, pas vrai ? Sors de là-dedans,
immédiatement ! »

Et sur ces mots, il déchira le tambour de peau,
et avala le petit agneau.

LES TROIS BOUCS BOUGONS

Il était une fois trois boucs, qu'on appelait « Bougon ». Ils décidèrent un jour de rejoindre leur pâturage sur la colline, pour devenir bien gros.

Sur leur chemin, il y avait un ruisseau, et sur le ruisseau il y avait un pont ; sous le pont vivait un horrible Troll. Ses yeux étaient grands comme des soucoupes, et son nez aussi long qu'un tisonnier.

Ce fut le plus jeune des boucs Bougon qui passa le premier sur le pont.

« Tip, tap! tip, tap! » fit le pont.

« QUI OSE AINSI trottiner sur mon pont? rugit le Troll.

— Oh! Ce n'est que moi, le plus minuscule des Bougon; et je vais sur la colline pour devenir bien gros, dit le bouc, d'une toute petite voix.

— Eh bien, je vais te manger, à l'heure qu'il est, dit le Troll.

— Oh! non. Par pitié, ne me prenez pas! je suis

bien trop petit, dit le bouc ; attendez plutôt que passe le second des Bougon. Il est bien plus gros.

— Bon ! Disparais de ma vue », dit le Troll.

Un moment plus tard le second bouc Bougon arriva pour passer le pont.

« TIP, TAP ! TIP, TAP ! TIP, TAP ! » fit le pont.

« QUI OSE AINSI trottiner sur mon pont ? rugit le Troll.

— Oh ! Je suis le second des Bougon, et je m'en vais sur la colline pour devenir bien gros, dit le bouc, dont la voix était déjà un peu plus forte.

— Eh bien, je vais te manger, à l'heure qu'il est, dit le Troll.

— Oh non ! Ne me prenez pas ! Attendez plutôt que passe l'aîné des Bougon. Il est bien plus gros.

— D'accord ! Disparais de ma vue », dit le Troll.

C'est alors qu'arriva le plus gros des boucs Bougon.

« CRIC, CRAC ! CRIC, CRAC ! CRIC, CRAC ! » fit le pont, car le bouc était si lourd que les planches

grinçaient et gémissaient sous son poids.

« QUI OSE AINSI marcher sur mon pont ? rugit le Troll.

— C'EST MOI ! LE GROS BOUC BOUGON, dit le bouc, de sa grosse voix rauque et déplaisante.

126

— Eh bien, je vais te manger, à l'heure qu'il est, hurla le Troll.

— Approche donc ! J'ai sur moi deux épées
Pour percer tes oreilles et piquer ton nez ;
Et j'ai, en plus, deux pierres plates,
Pour te briser les omoplates ! »

Et c'est ce que fit le gros bouc ; il bondit sur le Troll et le jeta dans la rivière, après quoi il prit le chemin de la colline. Là, les trois boucs devinrent

si gros qu'ils purent à grand-peine rentrer chez eux ; et s'ils n'ont pas perdu leur graisse aujourd'hui, eh bien ! ils sont toujours aussi gros ; et ainsi :

Cric, crac, c'est la nuit,
Ce conte est fini.

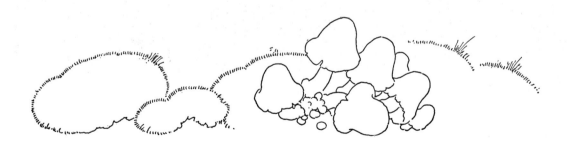

POUSSINET

Il y a de cela bien longtemps, une vieille poule et son petit Poussinet allèrent dans les bois. Et tout le jour ils grattèrent les feuilles à la recherche de quelques graines.

129

« Ne mange pas les grosses graines, dit la vieille poule à Poussinet, car elles t'étrangleraient. »

Mais, peu de temps après, le poussin trouva une grosse graine et l'avala. Alors il s'étrangla. La vieille poule eut très peur et courut à la source.

Elle lui dit :

« Source, je t'en prie, donne-moi de ton eau ;
Car Poussinet s'étouffe. »

Mais la source répondit :

« Donne-moi une coupe, alors je pourrai te
donner de mon eau. »

La vieille poule courut vers le chêne et lui dit :

« Chêne, je t'en prie, donne-moi une coupe,
Pour que la source me donne son eau.
Car Poussinet s'étouffe. »

Mais le chêne répondit :

« Secoue-moi, et je te donnerai une coupe. »

La poule courut vers le petit garçon et lui dit :

« Mon garçon, je t'en prie, secoue le chêne,
Et le chêne me donnera une coupe ;
Pour que la source me donne son eau ;
Car Poussinet s'étouffe. »
Mais le petit garçon répondit :

132

« Procure-moi des chaussures, et je secouerai
le chêne pour toi. »
Elle se précipita chez le cordonnier et lui dit :
« Bon cordonnier, je t'en prie,
Donne-moi des souliers pour le garçonnet ;
Ainsi il pourra secouer le chêne ;
Et le chêne me donnera une coupe ;
Pour que la source me donne son eau ;
Car Poussinet s'étouffe. »
Le cordonnier répondit :
« Si tu trouves du cuir, je ferai des souliers pour
le garçonnet. »
La vieille poule courut voir la vache et lui dit :
« Belle vache, je t'en prie, donne-moi de ton
cuir.
Et le cordonnier fera des souliers pour le
garçonnet ;
Ainsi il pourra secouer le chêne ;
Et le chêne me donnera une coupe ;
Pour que la source me donne son eau ;
Car Poussinet s'étouffe. »
Mais la vache répondit :
« Va me chercher du foin, et je te donnerai un
peu de mon cuir. »
La poule courut chez le fermier et lui dit :

« Fermier, je t'en prie, donne-moi du foin
pour que la vache offre un peu de son cuir
au cordonnier ;
Et le cordonnier fera des souliers pour le
garçonnet ;

Ainsi il pourra secouer le chêne;
Et le chêne me donnera une coupe;
Afin que la source me donne son eau;
Car Poussinet s'étouffe. »
Mais le paysan répondit :

« Trouve une charrue, et je pourrai te donner
du foin. »
La vieille poule courut alors chez le forgeron :
« Forgeron, je t'en prie,
Donne-moi une charrue pour le fermier ;

Alors il me donnera du foin pour la vache;
Et la vache offrira un peu de son cuir au
cordonnier;
Et le cordonnier fera des souliers pour le
garçonnet;
Ainsi il pourra secouer le chêne;
Et le chêne me donnera une coupe;
Afin que la source me donne son eau;
Car Poussinet s'étouffe. »

Alors le forgeron lui dit :

« Trouve-moi du fer, et ainsi je pourrai te
donner une charrue. »

La vieille poule courut voir les nains dans la
montagne et leur demanda du fer pour le forgeron.

Quand ils eurent entendu l'aventure de Poussinet, les nains voulurent lui porter secours. Ils
partirent dans leur grotte pour en extraire le fer que
demandait le forgeron.

Alors le forgeron façonna une charrue pour
le fermier;
Et le fermier donna du foin à la vache;
Et la vache offrit un peu de son cuir au
cordonnier;
Et le cordonnier fit des souliers pour le
garçonnet;

Ainsi, il put secouer le chêne ;
Et le chêne laissa tomber une coupe ;
Et la source donna son eau ;
Alors la vieille poule courut faire boire son
poussin ;

Et Poussinet put enfin respirer.

LE LOUP ET LE RENARD

Un loup, un jour, captura un renard. Comme ils se promenaient tous deux dans la forêt, le loup dit à son compagnon : « Va me chercher de la nourriture, ou bien c'est toi que je mangerai. »

Le renard répondit : « Je connais une cour de

140

ferme où nous pourrons cueillir, si tu le veux, deux tendres agneaux. »

Le loup trouva l'idée à son goût, et ainsi fut fait ; le renard partit voler un des agneaux, le rapporta au loup et s'en fut. Le loup n'en fit qu'une bouchée

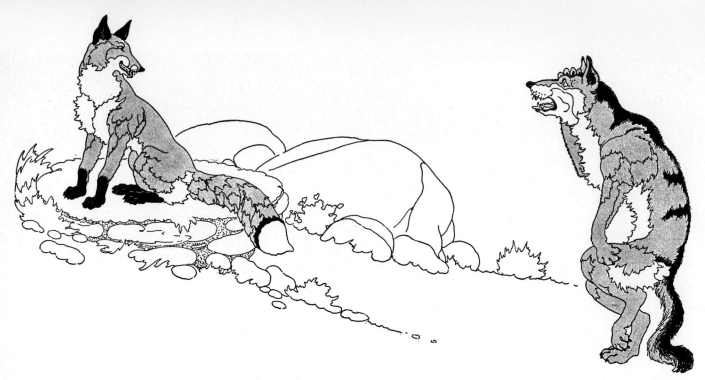

et, comme il n'était pas rassasié, il alla seul
chercher l'autre agneau ; mais il fut si maladroit
qu'il éveilla l'attention de la mère, qui se mit à bêler
de toutes ses forces afin d'ameuter les paysans.

Découvrant le loup, ils le frappèrent sans pitié.
Hurlant et boitant, le loup revint voir le renard et
lui dit :

« C'est vraiment un endroit charmant que tu
m'as fait connaître ; quand je suis allé chercher le
second agneau, les fermiers m'ont battu comme
plâtre.

— Pourquoi donc es-tu si goulu ? » lui dit le
renard.

Le lendemain, ils se promenèrent dans les
champs.

Le loup dit au renard, d'un ton avide : « Va me
chercher à manger, ou c'est toi que je dévorerai ! »

Le renard répondit qu'il connaissait une ferme
où la cuisinière faisait ce soir-là des crêpes, et ils
y allèrent. Le renard rampa avec précaution
autour de la maison et découvrit enfin l'endroit où
le plat était posé ; il vola six crêpes et les apporta

au loup, en disant : « Voici de quoi faire un repas délicieux. » Après quoi il s'en fut.

Le loup eut tout avalé en une minute, et comme sa gourmandise n'était pas satisfaite, il revint à la ferme et s'empara du plat ; mais son geste fut si brusque que le plat vola en morceaux. Le bruit attira la femme et, dès qu'elle vit le loup, elle ameuta sa famille ; tous se précipitèrent pour le frapper, avec tant d'ardeur qu'il revint à la hâte vers le renard, hurlant et boitant de deux pattes !

« Dans quel horrible endroit m'as-tu conduit ! s'écria-t-il ; les paysans m'ont pris et m'ont joliment arrangé le cuir !

— Pourquoi, aussi, es-tu si goulu ? » dit le renard.

Quand ils sortirent, le troisième jour, le loup se traînait lamentablement, et il dit au renard, d'une voix lasse : « Va me chercher à manger, ou c'est toi que je dévorerai ! »

Le renard répondit qu'un homme de sa connaissance venait de tuer le cochon et de mettre la viande à saler dans un baril ; ils pourraient aisément accéder au cellier. Le loup accepta d'aller avec lui, à la condition qu'il l'aiderait à s'échapper. « Bien sûr, tu peux m'en croire ! » dit le renard, et il lui enseigna les stratagèmes pour pénétrer dans

le cellier. A l'intérieur, la viande était si abondante que le loup ne se tenait plus de joie. Le renard, également ravi, faisait cependant le guet et courait fréquemment au soupirail par lequel ils étaient entrés, pour s'assurer que son corps pouvait toujours s'y glisser sans difficulté.

Au bout d'un moment, le loup demanda : « Pourquoi t'agites-tu ainsi dans tous les sens, renard ?

— Je veux être sûr que personne ne vient,

répondit le rusé ; mais prends garde de ne pas trop manger ! »

Le loup répliqua qu'il ne partirait pas avant d'avoir vidé le baril ; pendant ce temps, le paysan, qui avait entendu le bruit que faisait le renard, surgit dans le cellier. Dès qu'il le vit, le renard ne fit qu'un bond et se faufila dehors en un clin d'œil ; le loup tenta d'en faire autant, mais il avait tant mangé que son corps, trop gros, resta coincé dans le soupirail.

Alors vinrent les paysans avec leurs gourdins, et le loup reçut une sévère correction ; quant au renard, il s'enfuit joyeusement dans la forêt, débarrassé du vieux glouton.

LE CHAT ET LA SOURIS

Le chat et la souris jouaient dans la bergerie.
Le chat coupa la queue de la souris.
« S'il te plaît, minet, rends-moi ma queue.
— Non, dit le chat. Va d'abord demander à la

vache qu'elle me donne du lait. »

   Elle fit trois bonds, et puis courut

  Trouver la vache, à pas menus.

 « S'il te plaît, donne-moi du lait pour que le chat
soit satisfait et me rende ma queue.

— Non, dit la vache. Va d'abord demander au
fermier qu'il me donne du foin. »
    Elle fit trois bonds, et puis courut
    Vers le fermier, à pas menus.
« S'il te plaît, fermier, donne-moi du foin pour

que la vache me donne du lait, pour que le chat soit satisfait et me rende ma queue.

— Non, dit le fermier. Va d'abord demander au boucher qu'il me donne de la viande. »

Elle fit trois bonds, et puis courut
Chez le boucher, à pas menus.

« S'il te plaît, boucher, donne-moi de la viande, pour que le fermier me donne du foin, pour que la vache me donne du lait, pour que le chat soit satisfait et me rende ma queue.

— Non, dit le boucher. Va d'abord demander au boulanger qu'il me donne du pain. »

Elle fit trois bonds, et puis courut

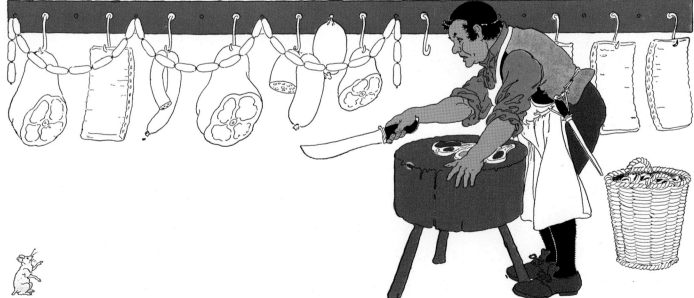

Chez le boulanger, à pas menus.

« S'il te plaît, boulanger, donne-moi du pain pour que le boucher me donne de la viande, pour que le fermier me donne du foin, pour que la vache me donne du lait, pour que le chat soit satisfait et me rende ma queue.

— Oui, dit le boulanger, je t'offre une galette. Mais si tu voles mon repas, je te coupe la tête. »

Alors le boulanger lui donna un pain, qu'elle donna au boucher, et le boucher lui donna la viande, qu'elle donna au fermier, et le fermier lui donna du foin, qu'elle donna à la vache, et la vache lui donna du lait, qu'elle donna au chat, et le chat, réjoui, rendit sa queue à la souris.

LA MAISON SUR LA COLLINE

Un jour, un cochon, la queue en tire-bouchon, dit à son ami le mouton : « Je suis las de vivre dans un enclos. Je vais bâtir une maison sur la colline.

— Oh! Laisse-moi venir avec toi! supplia le

mouton.

— Que sais-tu faire ? demanda le cochon.

— Je peux porter le bois, dit le mouton.

— Parfait ! répondit le cochon. Tu es celui qu'il me faut. Viens avec moi. »

Comme ils allaient, faisant de beaux projets, ils rencontrèrent une oie.

« Bonjour, dit l'oie. Où allez-vous donc, par cette belle journée ?

— Nous allons sur la colline pour y bâtir notre

maison. Je suis las de vivre dans un enclos, dit le cochon.

— Couac ! dit l'oie. Puis-je vous accompagner ?

— Que sais-tu faire ? demanda le cochon.

— Je peux ramasser la mousse et l'enfoncer dans les fissures, pour que la pluie n'entre pas.

— Parfait ! dirent le cochon et le mouton. Tu es celle qu'il nous faut. Viens avec nous. »

Comme les trois amis allaient, faisant de beaux projets, ils croisèrent un lapin.

« Bonjour, dit le cochon.

— Bonjour, dit le lapin. Où allez-vous donc sous ce beau soleil ?

— Nous allons sur la colline pour y bâtir notre maison. Je suis las de vivre dans un enclos, dit le cochon.

— Oh ! dit le lapin, en faisant un petit bond. Puis-je vous accompagner ?

— Que sais-tu faire ? demanda le cochon.

— Je peux creuser les trous pour les piliers de

la maison, dit le lapin.

— Parfait ! dirent en chœur le cochon, le mouton et l'oie. Tu es celui qu'il nous faut. Viens avec nous. »

Comme les quatre compagnons allaient, faisant

de beaux projets, ils trouvèrent sur leur chemin un coq.

« Bonjour, dit le cochon.

— Bonjour, dit le coq. Où allez-vous donc sous ce ciel magnifique ?

158

— Nous allons sur la colline pour y bâtir notre maison. Je suis las de vivre dans un enclos », dit le cochon.

Le coq battit trois fois des ailes et chanta :

« Oh ! Oh ! Oh ! O-O-Oh ! Puis-je vous accompagner ?

— Que sais-tu faire ? demanda le cochon.

— Je serai votre horloge, dit le coq. Je chanterai tous les matins et vous réveillerai à la pointe du jour.

— Parfait ! dirent le cochon, le mouton, l'oie et le lapin. Tu es celui qu'il nous faut. Viens avec nous. »

Et ils se dirigèrent, le cœur joyeux, vers la colline. Le cochon trouva le bois pour la maison. Le mouton le porta, attaché sur son dos. Le lapin creusa les trous pour les piliers. L'oie bourra de

mousse les fissures pour que la pluie n'entre pas.
Et tous les matins, le coq chanta pour réveiller les
ouvriers. Quand enfin la maison fut terminée, le
coq se percha au faîte du toit et, sans fin, chanta,
chanta.

Numéro d'éditeur : H 36303
ISBN - 2.09.277.080 - 2
Photocomposition Coupé S.A. - 44 Sautron
Imprimé en France par Pollina, 85400 Luçon - N° 6132
Dépôt légal : Juillet 1984